Crónicas del

Vampiro
Valentín

Título original: *Operação Espelho Meu*

Primera edición: abril de 2014

© Texto: Álvaro Magalhães, 2011
© Ilustraciones: Carlos J. Campos, 2011
© Edición original: Edições ASA II, S.A., Portugal, 2011

© de la traducción: Juanjo Berdullas
© de esta edición: Roca Editorial de Libros, S.L.
Av. Marquès de l'Argentera, 17, Pral.
08003 Barcelona

www.piruetaeditorial.com

Impreso por Liberduplex, s.l.u.
ISBN: 978-84-15235-67-5
Código IBIC: YFH; 5AJ
Depósito legal: B. 5.476-2014

Álvaro Magalhães

Crónicas del Vampiro Valentín

Libro 9

Operación
Espejo mío

Ilustraciones de
Carlos J. Campos

pirueta

El abuelo

El padre

La madre

Valentín

Dientecilla

Milhombres

Madroño

SNIF
SNIF

CAPÍTULO I
SOL Y SOMBRA

Celeste llegó al jardín, donde Dientecilla, la madre, el padre y el abuelo tomaban el sol, y les dio la buena noticia.

LOS CAZADORES DE VAMPIROS
YA SE HAN IDO. PERO ANTES
HAN ACRIBILLADO DOS ALMOHADAS.
¡EL GORDO NO SE ANDA CON BROMAS,
NO SEÑOR!

Se refería a Miñombres y a Madroño, que los habían visto tomando el sol y se habían convencido de que no eran vampiros.

NOS HEMOS LIBRADO DE ELLOS.

GRACIAS A ESTA MAGNÍFICA CREMA DE DÍA. ¡QUÉ MARAVILLA! YA NO ME ACORDABA DE LO QUE ERA TOMAR EL SOL.

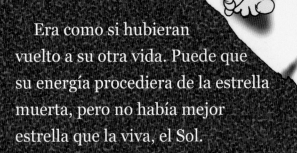

CREMA DE DÍA

Era como si hubieran vuelto a su otra vida. Puede que su energía procediera de la estrella muerta, pero no había mejor estrella que la viva, el Sol.

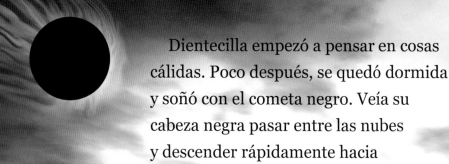

Dientecilla empezó a pensar en cosas cálidas. Poco después, se quedó dormida y soñó con el cometa negro. Veía su cabeza negra pasar entre las nubes y descender rápidamente hacia ella. Y entonces... *¡Pim!* Le cayó algo en la cabeza y se despertó.

¡EL COMETA!

No era aún el cometa, sino una de las muchas piedrecitas negras que caían del cielo.

—Ponte debajo de la sombrilla —le recomendó su madre—. Cualquiera sabe qué puede caer del cielo.

Era cierto. Había gente que decía que había caído una granada, un cortaúñas, un rollo de papel higiénico, una tostadora, un móvil. Todos negros como el carbón. No eran más que exageraciones, por supuesto. Pero piedras... Cada vez caían más y cada vez eran mayores.

Todos habían soñado con el cometa.

—A ver, a ver —dijo la madre moviendo la cabeza—. Hablamos del tema y se nos quedan las imágenes en la cabeza. Tenemos miedo y soñamos... Es eso. Vamos a ver la ciudad de día. ¿Queréis quedaros en casa con el día que hace?

Mientras, no muy lejos de allí, Milhombres y Madroño, destrozados por otro fracaso y también muertos de hambre, frío y sueño, desayunaban en el café La Brasileña. Estaban en la cola esperando para pagar cuando Madroño se quedó boquiabierto mirando el espejo de la pared.

VENGA, HOMBRE,
CIERRE LA BOCA.

Madroño señaló a dos hombres que salían a la calle, pero no consiguió hablar.

Milhombres le dio una palmada en la espalda, con tanta fuerza que le devolvió la voz.

—Aquellos dos no se reflejaban en el espejo —dijo entonces, y comenzó a toser. ¡COF! ¡COF! ¡COF!

—¿Está seguro? —le preguntó Milhombres, alerta.

—Lo he visto bien. Quiero decir, no los he visto. Mejor dicho: he visto bien que no se reflejaban en el espejo, no como nosotros y los demás.

Milhombres corrió hacia la calle arrastrando a
Madroño, pero ya no había rastro de los dos hombres.

—Seguro que eran vampiros —dijo Milhombres—.
¿Se da cuenta de que está todo lleno de vampiros
y nosotros... ni verlos?

—¡ERES BURRO, HIJO MÍO! —se dijo Madroño.

—¡Y TU AYUDANTE ES UN BESUGO! —se dijo
Milhombres.

—¡TANTOS VAMPIROS POR EL MUNDO! —dijo Madroño.

¡Y VOSOTROS NO VEIS NI UNO!

Después, Milhombres se puso delante de un escaparate y ahí estaba, en el cristal, otro Milhombres que lo miraba.

—¡EL ESPEJO! —gritó al fin—. ¡Como le había dicho, esa es la prueba! No les hemos hecho esa prueba a los Perestrelo. Estaban tomando el sol, es verdad, pero podían estar usando una protección solar potente, por ejemplo.

—¿Volvemos atrás? —preguntó Madroño preocupado—. Le he dicho a mi mujer...

—OLVÍDESE DE SU MUJER. Vamos a mi casa a ducharnos y a cambiarnos de ropa. La cacería continúa.

—Yo dormiría un rato —se quejó Madroño—. No he pegado ojo.

Agarrados el uno al otro, subieron las escaleras del edificio de puntillas, no fueran a oírlos las vecinas, Gloria y Felicidad. Era lo único que les faltaba...

En otro lugar de la ciudad, Alejo llevaba a Valentín y a Sofía, recién llegados del Mundo de Allá por el Camino de la Serpiente, a la puerta principal de una mansión rodeada de árboles en la avenida de Buenavista.

Cuando llegaron a la puerta, esta se abrió poco a poco y entraron. Tras la puerta, había un hombre bajito y delgado, vestido completamente de negro.

¡MUY BIEN! SOY LIN, PERO PODÉIS LLAMARME EL SOMBRA, COMO ME LLAMA TODO EL MUNDO. VOY A LLEVAR A NUESTRO AMIGO VALENTÍN A UNA REUNIÓN EXTRAORDINARIA DE LA HERMANDAD DE LA ROSA NEGRA. EL MOTIVO DE LA REUNIÓN ES ÉL, EVIDENTEMENTE.

Valentín miró mejor a aquel hombre aún joven, discreto y apagado, de hecho, oscuro.

A primera vista, con sus gafas y su maletín negro, parecía un ejecutivo recién llegado de la bolsa. A primera y a segunda vista.

15

A PARTIR DE AHORA SERÉ TU SOMBRA, SI NO TE IMPORTA.

YA TENGO UNA.

PERO NO TE PROTEGE COMO YO. SOY UNA SOMBRA PROTECTORA.

¿Y PARA QUÉ NECESITO MÁS DE UNA SOMBRA?

Lin dijo con aire serio:

—Hijo, eres la esperanza de los que, como nosotros, viven aquí arriba y el blanco principal de los que viven allá abajo. Eres una criatura en peligro. Por tanto, necesitas protección...

ERA LO QUE PENSABA. Y ME HUELE QUE ESTO AÚN VA A IR A PEOR.

Luego, Valentín se despidió de Alejo, que iba a buscar a *Psi*, y de Sofía, que regresaba al Mundo de Allá, que también era el suyo.

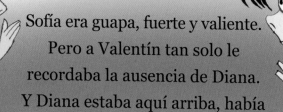

Sofía era guapa, fuerte y valiente.
Pero a Valentín tan solo le
recordaba la ausencia de Diana.
Y Diana estaba aquí arriba, había
huido del Mundo de Allá. Y lo más gracioso
era que él sentía que no andaba lejos...
Alejo y Sofía se marcharon y Valentín fue
a buscar al Sombra, que lo esperaba
en la habitación de al lado, sentado en el suelo,
meditando con las piernas cruzadas.

CAPÍTULO II
ESPEJITO MÍO

Diana andaba sin rumbo por la orilla del mar,
en la zona de la Foz, donde había estado con Valentín.
¡Vaya traidor! Y ella quería salvar un mundo
en el que no había lugar para el amor. Sacó de la
mochila el oso *Puff*, el peluche que la acompañaba
desde pequeña. *Puff* tenía casi su edad y estaba
estropeado. Le faltaba pelo aquí y allá, tenía una raja
en la cabeza y también le faltaba
un trozo de oreja, que le
había arrancado un perro.

Dentro de *Puff*, bien escondido, estaba el lápiz de memoria con los secretos que podrían ayudar a salvar el mundo, lo que hacía que aquel peluche fuera aún más preciado.

ERES EL MEJOR OSO PARA GUARDAR ESTO, ¿NO? AUNQUE TE TORTUREN LOS PURASANGRE, NO LES DIRÁS DÓNDE ESTÁ, ¿NO?

Diana hablaba con el osito como si estuviera segura de que la oía. Se sentó con él en el regazo en un banco de madera, mientras miraba aquella línea, allá al fondo, que separaba el mar del cielo.

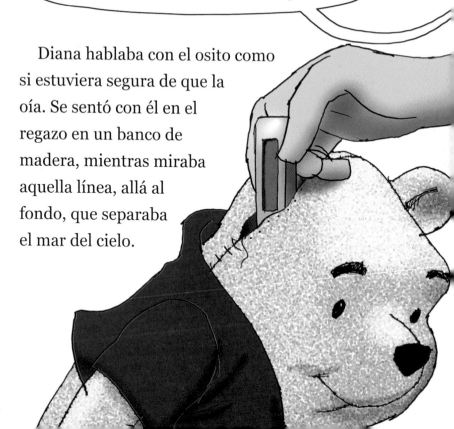

No hay otro mundo como este, aunque los que viven aquí no se den cuenta. ¿Podría dejarlo morir? Ahora también era su mundo, pues nunca más la aceptarían en el Mundo de Allá.

En la avenida, apareció el coche de la tía Matilde. Lo conducía Granjola, a quien Diana conocía bien. Su tía asomaba la cabeza por la ventanilla y lo observaba todo a su alrededor.

Por suerte, Diana la vio antes de que ella la viera y pudo esconderse entre un grupo de turistas. Luego bajó por las escaleras a la playa, donde se quedó acurrucada, sin moverse siquiera.

Mientras, en casa, Milhombres se puso delante del espejo grande de su habitación. Tenía un bonito marco de madera que había sido de su padre.

El espejo acabó salpicado de saliva, medio empañado, y Milhombres lo miró desconfiado.

¿QUÉ PASA, PROFESOR?

HE ESTORNUDADO Y MI OTRO YO, EL DEL ESPEJO, NO HA ESTORNUDADO. ESO ES LO QUE ME HA PARECIDO.

—Es natural, esa gente no se acatarra —dijo Madroño, que estaba contento al ver que no era un vampiro, a pesar de haber comido chorizos de sangre sin ajo.

23

Cansados y muertos de sueño, los dos acabaron por caer en la cama y quedarse dormidos delante del espejo. Nada más dormirse, Madroño soñó que se miraba en un espejo y que no se reflejaba. Aunque limpiaba el espejo con un trapo, tampoco se reflejaba. Y si era así: ¡él era un vampiro! ¡Qué horror! ¡Cuántas cosas horribles le pasarían! Y lo que es peor: miró hacia atrás y vio a Milhombres que sonreía con una estaca en la mano, listo para atacar.

—¡Soy yo, profesor! —gritaba él.

SÉ QUIÉN ES USTED.
ES EL VAMPIRO MADROÑO.

—¡NOOOOOO!

—gritó Madroño muy alto y se
despertó al momento.
Milhombres lo sacudía y también
gritaba.

¡DESPIERTE, HOMBRE!

NO ME HAGA
DAÑO, PROFESOR.

¿YO? ME HE DESPERTADO PORQUE USTED ESTABA GRITANDO...

Madroño volvió en sí y respiró hondo, aliviado.

—¡Ah! Era solo un sueño. Yo era un vampiro y el profesor quería matarme.

—¿Y qué quiere? Si usted era un vampiro... Los cazadores cazamos, incluso en sueños.

Milhombres se sentó al borde de la cama, sudando, y confesó:

YO TAMBIÉN HE TENIDO UNA PESADILLA HORRIBLE. MIRABA AL ESPEJO Y AHÍ ESTABA MI PADRE, QUE TIRABA DE MÍ HACIA EL OTRO LADO.

—¿Hacia qué otro lado? —quiso saber Madroño.

—Hacia el otro lado del espejo, donde viven los espíritus y otras criaturas horrendas.

—¡Ah! ¿Y usted qué hacía? —preguntó Madroño interesado.

—Yo me agarraba a todo, para quedarme en este lado, pero mi padre tenía más fuerza. Entonces, grité:

¡NO! ¡AÚN ES PRONTO, PAPAÍTO! ¡RECUERDA QUE AÚN NO HE ALCANZADO LA GLORIA Y LA FELICIDAD DE MATAR UN VAMPIRO!

—¿Dijo eso, profesor?

—Lo dije. Y fue lo que me salvó. Aparecieron

Gloria y Felicidad

y me dieron la mano.

—No, hombre. Aparecieron en el sueño. Tiraron de mí con fuerza y eso fue mi salvación. ¡En sueños, en sueños!

Milhombres cubrió el espejo con una sábana y lo empujó hasta una esquina mientras decía:

ESTE NO VUELVE A VERME LA CARA.

¿PROFESOR, HA OÍDO USTED LO QUE HA DICHO?

—¿Qué? ¿Que el espejo no volvía a verme la cara?

—No. Hace un momento dijo «Gloria» y «Felicidad» y no pasó nada ni apareció nadie.

—Es verdad. ¿Se da cuenta de que me he librado de la maldición? ¿Se da cuenta? ¡Gloria! ¡Felicidad! ¡Gloria Felicidad!

El viejo cazador abrió entonces la puerta que daba al salón y repitió muy alto: ¡Gloria! ¡Felicidad! Y adivinen a quién vio en medio del salón, esperándolo.

Gloria y Felicidad

—¡Ya lo hemos oído, profesor! —dijo Gloria.

—Estamos aquí —dijo Felicidad, gesticulando con

ambas manos—. La puerta estaba entreabierta.

Gloria le había hecho un retrato y quería colgarlo al lado del de su padre, para hacerle compañía. Pero él, el retrato de su padre, no quería y se cayó al suelo. Era su manera de protestar.

MI PADRE FUE SIEMPRE ASÍ. LE GUSTA ESTAR SOLO Y QUE NO LE MOLESTEN.

Por su parte, Felicidad había compuesto una canción
en la que Milhombres era un héroe y se puso a
cantarla, sin pedir permiso a nadie.

—¿Y bien? —preguntó al acabar,
mirando a los dos hombres.

—Y bien... ¿qué? —preguntó Milhombres.

—Ustedes tienen que hacer el coro al final y cantar «O MÁS, O MÁS» —explicó ella.

Madroño se entusiasmó.

—Venga, profesor. Vamos a hacerlo —dijo—. Mi mujer dice que tengo buena voz. Y la canción es bonita. Ya me gustaría tener una canción propia como esa, con mi nombre.

Milhombres se encogió de hombros, desalentado.

¡Cinco vampiros, cinco vampiros que cazar y él aquí canturreando!

Felicidad volvió a empezar: «Fuerte, valiente y audaz...». En el momento adecuado, Madroño, muy excitado, y Milhombres, muy abatido, cantaron a coro.

«¡O MÁS, O MÁS!»

Aquello duró más o menos una hora, hasta que, al final, Milhombres explotó.

—¡BASTA! SE ACABÓ TANTO CANTURREO. YO TENGO CITA CON EL DENTISTA, REUNIÓN CON MI ABOGADO, UNA CONFERENCIA EN LA UNIVERSIDAD, UNA MISA POR EL ALMA DE UN AMIGO, LA BODA DE UNA SOBRINA, Y TAMBIÉN TENGO DOLOR DE CABEZA, DE MUELAS, ANGUSTIA EN EL CORAZÓN, FALTA DE AIRE, UN ESCALOFRÍO EN LA MÉDULA... Y ADEMÁS DE TODO ESO...

LA HERMANDAD
DE LA ROSA NEGRA

Abrazada a *Puff*, Diana se internó por las callejuelas de la ciudad, por las que no circulaban los coches. Quería entregar el lápiz de memoria que *Puff* guardaba con la preciada información para salvar la Tierra a alguien de la Hermandad de la Rosa Negra.

Sabía de buena tinta que la Hermandad quería salvar el Mundo de Arriba, que también era el mundo de muchos de sus miembros, y de sus padres y abuelos. Por eso iba camino de la floristería de Alejo. Cuando iba escondida en su furgoneta, oyó hablar de la Hermandad de la Rosa Negra.

En ese momento, la tía Matilde conversaba con la recepcionista de la Academia de Yoga, que se acordaba de Diana y de que le había pedido la dirección de un tal Valentín... Ah, era eso lo que la tía Matilde quería oír: una pista.

Esperó a que la recepcionista se acordara y salió a toda prisa con la dirección de los Perestrelo.

Fuera, apoyado en el coche, la esperaba Granjola, un Purasangre alto y fuerte, con un pasado de luchador de lucha libre, una fuerza descomunal y muy mal carácter.

Los vampiros Purasangre se distinguen de los vampiros nada corrientes porque ya nacen vampiros y son hijos y nietos de otros que ya nacieron vampiros.

Todos nacieron en el Mundo de Allá, bajo la energía de la estrella muerta, y no tuvieron antes una vida normal como los vampiros nada corrientes.

Tienen el triple de fuerza y agilidad que una persona o un vampiro nada corriente. En cuanto a la inteligencia, no es así. Los Purasangre son como los demás, los vampiros nada corrientes y los humanos. Pero Granjola... Ni siquiera consiguieron que aprendiera la tabla de multiplicar, solo lucha libre, nuevos trucos para dar mamporros... y nada más.

Matilde Melo entró en el coche. Granjola iba a decir algo, pero ella lo mandó callar.

YA SABE QUE ME GUSTA EL SILENCIO. PONGA UN CD CON LA MÚSICA DE MOZART Y AVANCE. VAMOS A LA AVENIDA DE LOS COMBATIENTES. ¡VOLANDO!

Mientras ella iba volando, Diana caminaba hasta la plaza de las Flores. Cuando llegó a la tienda de Alejo, este llegaba. Regresaba con *Psi*, alegre por haber vuelto a casa después de un viaje excitante al Mundo de Allá, aunque triste por haber perdido a *Lolita*.

Los del Mundo de Allá no la habían dejado pasar. Él quería quedarse con ella, pero era de aquí, y no lo dejaron quedarse. Pasaba con muchos perros (y con muchas personas, claro).

Diana dio un beso a *Puff*, para que le diera suerte, y entró en la tienda.

¿VIENES A BUSCAR EL PEDIDO DE CLAVELES?

Ella contestó que no y él notó que no se reflejaba en el espejo del techo.

—Eres una...

> SÍ, VENGO DEL MUNDO DE ALLÁ. COMO SABE, LA TIERRA ESTÁ EN PELIGRO A CAUSA DEL COMETA Y TENGO QUE ENTREGAR UN DOCUMENTO SECRETO DE LOS PURASANGRE A ALGUIEN QUE ESTÉ VINCULADO A LA HERMANDAD DE LA ROSA NEGRA. SON CÁLCULOS SECRETOS, QUE SOLO PUEDEN HACER QUIENES DOMINAN LA ENERGÍA NEGRA...

—Sí, puede ser... Pero ¿cómo has conseguido esa información? —preguntó Alejo y, abriendo los ojos de espanto, exclamó mirando a la calle a través del escaparate—: ¡LOS PURASANGRE!

Diana dio un salto y se lanzó entre las flores. Allí se quedó, escondida. Pensaba que venían a por ella, pero venían a por Alejo.

Dos matones armados entraron en la tienda y un tercero se quedó en la puerta. *Psi* se abalanzó sobre uno de ellos. Pero ¿qué podía hacer contra la fuerza de un Purasangre? Lo empujaron a patadas hacia el baño y lo encerraron allí. Después, los dos Purasangre cogieron a Alejo y lo arrastraron hasta la salida.

¡EL PEDIDO! ¡PSI TE LLEVARÁ!

Fue lo que dijo antes de salir, mirando hacia el lugar donde Diana seguía escondida entre las flores, aguantando para no estornudar.

Ella se dio cuenta perfectamente que aquel «¡El pedido! ¡*Psi* te llevará!» iba por ella. Pero ¿qué pedido? ¿Y quién era *Psi*? Allí no había nadie más.

Mientras, en el subsuelo, Valentín y el Sombra bajaban por los túneles de los antiguos conductos de agua.

—Son solo cien metros —le avisó el Sombra—. ¿Te dan miedo los ratones?

—Odio... Las grandes, las ratas grandes...

—No te preocupes, las mantendré a distancia con ultrasonidos —dijo el Sombra abriendo el maletín negro.

Sacó un aparato del tamaño de un móvil, lo encendió y los ratones, incómodos, huyeron en todas direcciones, metiéndose por todos los agujeros.

—Las sombras no acostumbran a ir delante —dijo Valentín.

—¿No? —dijo el Sombra—. No puedes ni imaginarte la de veces que tu sombra te deja y se va a dar una vuelta. Cuando no estás pendiente de ella, claro.

Más adelante, volvieron a la superficie, y llegaron al jardín de otra casa. Entraron por la puerta de atrás y recorrieron dos pasillos desiertos. Al fondo del segundo, había una puerta ancha, que el Sombra abrió lentamente.

Tras ella, en una pequeña sala casi vacía, había tres hombres mayores, cubiertos con túnicas blancas con el dibujo de una rosa negra dentro de un círculo. Estaban sentados a una mesa y, tras ellos, en la pared, además del retrato del Gran Pipistrello, se hallaba la inscripción que Valentín descifró en el Mundo de Allá.

Uno de los tres hombres, el del medio, era el bisabuelo de Valentín, aunque Valentín aún no lo sabía. Le pidió que leyera las Palabras Misteriosas.

YO SOY EL QUE VERÁ.

Los tres hombres se levantaron, emocionados, y lo abrazaron. El bisabuelo, que fue el último y lo hizo con más fuerza, le dijo:

¡ERES TÚ, MUCHACHO! ¿SABES QUIÉNES SOMOS? OTROS COMO TÚ Y TU FAMILIA, MUERTOS Y RENACIDOS EL **25 DE JUNIO** Y QUE, EN OTRA ÉPOCA, VIVIMOS EN EL MUNDO DE ALLÁ. HUIMOS CON EL GRAN PIPISTRELLO DURANTE LA REVOLUCIÓN DE LOS PURASANGRE Y AÚN HOY SOMOS LA RESISTENCIA CONTRA ESA DICTADURA. PERO, AHORA, TENEMOS OTRA MISIÓN: SALVAR LA TIERRA. Y SABEMOS QUE TÚ PUEDES ECHARNOS UNA MANO.

Valentín se encogió de hombros:

—¿Y qué puedo hacer yo? —preguntó.

El bisabuelo respondió:

—SOLO LA ENERGÍA NEGRA PUEDE DESVIAR LA RUTA DEL COMETA O DESTRUIRLO. YA LA TENEMOS Y LA HEMOS HECHO LLEGAR AL COMITÉ DE SALVACIÓN, QUE ESTÁ FORMADO POR LOS PAÍSES MÁS PODEROSOS. PERO ¿CÓMO PODEMOS ALCANZAR EL COMETA SI NO HAY MODO DE DETECTARLO A TIEMPO? NADIE PUEDE VERLO, SALVO **«AQUEL QUE VERÁ»**.

¿YO? ¿NO ERA UN HIJO DEL GRAN PIPISTRELLO?

El bisabuelo se lo llevó a otra sala, allí al lado, donde se quedaron solos, y le dijo:

SOY TU BISABUELO. EL DE LA LUCECITA QUE OS GUIO. EL QUE VIVÍA EN LA CASA, EN EL SÓTANO SECRETO. AYER CENÉ CON LA FAMILIA, PERO TÚ NO ESTABAS...

¡AH, EL BISABUELO...!

—Eso mismo, ese soy yo —le dijo quitándose la túnica blanca para que pudiera verlo.

Tosía mucho y le costaba abrir los ojos.

—¿Te gustan las historias de amor? —le preguntó.

—De hecho, hasta estoy metido en una, pero no va muy bien —dijo Valentín sonriendo.

CAPÍTULO IV
CORAZONCITOS ROJOS

Milhombres y Madroño ya estaban cerca de la casa
de los Perestrelo, cuando Madroño recordó:

NO HEMOS TRAÍDO EL ESPEJO, SOLO EL LIBRO.

¿CÓMO DICE? ESTE NO ES UN LIBRO CUALQUIERA.

—Ya lo sé, es el **MANUAL DEL CAZADOR DE VAMPIROS** que escribió su padre.

Milhombres se detuvo, le dio el libro a su ayudante y dijo:

—Hay una página que no tiene letras. Si la miramos, solo vemos nuestro propio rostro. A ver si la encuentra.

Madroño hojeó el libro, pero solo veía letras y más letras, y algunos dibujos. Hasta que, en la página 72, en la que había un espejo, vio su propio rostro. Hasta se asustó.

—¿Lo entiende ahora? —le preguntó Milhombres—.
Y ahora traiga el libro para acá, que estamos a punto
de llegar.

Como otras veces, Milhombres y Madroño saltaron
el muro bajo del jardín de la casa de los Perestrelo y
fueron a husmear por la ventana del salón. Y vieron al
padre, a la madre, a Dientecilla y al abuelo. Estaban
los cuatro en el salón hablando de Valentín y de qué
podía haberle pasado.

—Son ellos. Son igualitos a los de la fotografía —dijo Milhombres—. Dicen que son los Meneses, pero son todos... Perestrelo. Basta con verlos.

El padre y la madre salían en ese momento. Milhombres y Madroño los esperaron en la calle y, sin que se dieran cuenta, abrieron el libro e hicieron la prueba del espejo.

Milhombres guiñó el ojo a Madroño y, cuando el padre y la madre se alejaron, dio un salto de alegría.

NO SE HAN REFLEJADO EN EL ESPEJO, ¿LO HA VISTO? ¡SON VAMPIROS!

> ¡SON ELLOS! AH, ESPEJITO MÍO, ¿HAY ALGUIEN MÁS INTELIGENTE QUE YO?

El espejo no respondió. Una de dos: o se lo estaba pensando o no quería decepcionarlo. Poco después, vieron salir a Celeste, que iba a comprar, y también le hicieron la prueba del espejo sin que se diera cuenta.

—¿Lo ve, profesor? Esta no es vampiro —dijo Madroño.

> PERO TODOS LOS DEMÁS SÍ. ¡CINCO VAMPIROS, CINCO! Y NOSOTROS LOS TENEMOS EN EL PUNTO DE MIRA.

—Ahora solo quedan dos, la pequeña y el vejete —recordó Madroño.

—Es suficiente para empezar —dijo Milhombres frotándose las manos.

Pero lo peor aún estaba por llegar. ¿O sería lo mejor? Matilde Melo, la tía de Diana, acababa de encontrar la casa de los Perestrelo.

Milhombres iba a salir y ella entraba. Por un momento, se miraron como aquellas personas que tienen la impresión de que se conocen pero no saben de dónde.

Una piedrecita negra cayó sobre la cabeza de Milhombres. No era de las más pequeñas, precisamente, no señor, pero él ni la notó.

La visión de aquella mujer había sido un golpe mayor. Y, esta vez, no vio estrellas, solo corazones rojos pequeñitos. Daban vueltas alrededor de su cabeza, como planetas alrededor de un sol calentito.

—N-no... —tartamudeó él, casi sin voz.

—ENTONCES, QUÍTESE DE EN MEDIO, SO TONTO —concluyó ella con su vozarrón.

Él se apartó para dejarla pasar y se quedó mirándola boquiabierto, pensando y sintiendo cosas extrañas que ni se acordaba de pensar ni sentir.

—¿Se ha visto usted en el espejo, profesor? —preguntó Madroño—. Parece una postal del

Día de San Valentín.

Hay corazones pequeñitos, rojos, a su alrededor.

Parecen pompas de jabón que se van deshaciendo.
¡Oh! Allí va uno...

Intentaron coger el corazón, pero no estaba allí.
Solo lo veían, no podían cogerlo.

—Me ha pasado algo. Ha sido un golpe, una visión,
o es este maldito catarro —dijo Milhombres, confuso
y aturdido.

Abrió entonces el libro para verse en el espejo. Ya no
parecía una postal del Día de San Valentín, pero aún
tenía un corazoncito posado en la punta de la nariz.
Estornudó.

¡ACHÍS!

Y allá se fue
el corazoncito
por el aire...

Mientras, en la puerta de la casa de los Perestrelo, Matilde, la tía de Diana, hablaba con Dientecilla, que había abierto la puerta.

—¿Es esta la casa de Valentín Meneses?

—A veces... —contestó Dientecilla.

—A veces, ¿qué?

—Nada. Es aquí, pero no está, ni sabemos cuándo va a volver. Está de viaje, por así decirlo.

Matilde le mostró la fotografía de Diana.

¿SABES SI ESTA MUCHACHA VA CON ÉL? ES MI SOBRINA Y LA ESTOY BUSCANDO.

Dientecilla miró la fotografía y dijo:

—Sí, una muchacha parecida vino a preguntar por él, pero Valentín ya no estaba.

—¡Ah! ¿Adónde fue ella? ¿Quedó en volver? —quiso saber Matilde Melo.

—No dijo nada. Se marchó y ya está —respondió Dientecilla.

También la tía de Diana se marchó. Dejó un número de teléfono para que la avisaran en caso de que Diana volviera a aparecer. Había algo que quería hacer.

Ya en la calle, Milhombres la siguió con la mirada.

¿Y SI LE HACEMOS LA PRUEBA DEL ESPEJO?

—¡Ni pensarlo! —dijo Milhombres—. ¿Cómo va a ser vampira una señora como esa? Los espejos hasta deben sonreírle. ¡No ve que es una señora distinta, seria y elegante y guapa y austera y no sé qué más!

—Las vampiras también son todas esas cosas.

—No son nada. Precisamente por eso son

Vampiras.

¿Lo ha oído bien? Esa señora es diferente y me recuerda a alguien que conocí cuando era joven...

—El profesor... joven... Cuesta creerlo —confesó Madroño, riendo.

Milhombres abrió el libro por la página del espejo.

DIME, ESPEJITO: ¿HAY ALGUIEN MÁS HERMOSO QUE ELLA?

OH, PROFESOR... ESO HA SIDO AMOR A PRIMERA VISTA.

MANUAL DEL CAZADOR DE VAMPIROS

—¿Amor? ¿Está usted loco? ¿Cree que tengo tiempo para esas cosas? Estoy por encima de eso, ¿lo entiende?

Podía ser. Pero si no era amor, algo sería. ¿Pasión? ¿Alegría?

Su cabeza, en otro tiempo vacía, estaba llena de preguntas.

El corazón, en otro tiempo adormecido, volvía a latir.

¡TOC! ¡TOC! ¡TOC! ¡TOC! ¡TOC! ¡TOC! ¡TOC

Y lo peor (o lo mejor, aún no se sabía) era que ahora sentía dentro una especie de calor, como si alguien hubiera encendido una hoguera. Y también había corazoncitos rojos alrededor de su cabeza, como en las postales. Él se los quitaba de encima, pero los corazoncitos no estaban allí, solo se veían.

—Uy, Uy —dijo Madroño, y ahí se quedó la cosa.

Indiferente a todo eso, Matilde Melo caminó hasta el fondo de la calle y dobló la esquina.

Milhombres y Madroño ya no la vieron llegar al coche donde la esperaba el guardaespaldas. Le mandó salir y ocupó su lugar al volante.

También entró en el coche un corazoncito rojo. Ella estiró el brazo para cogerlo, pero no estaba allí, solo se veía, y salió por la ventana.

Aun así, Matilde Melo se puso a pensar en cosas pasadas, de su otra vida, olvidándose de todo lo demás. Granjola esperaba una orden que no llegaba y acabó golpeando el cristal con los dedos.
Ella despertó de su letargo y le explicó:

YO VOY A BUSCARLA POR LOS SITIOS A LOS QUE LE GUSTABA IR Y TÚ TE QUEDAS AQUÍ VIGILANDO LA CASA POR SI LA CHICA VUELVE AQUÍ O POR SI VUELVE EL CHICO QUE ELLA BUSCABA. ¡ASÍ QUE ATENTO DE VERDAD! RECUERDA QUE DE ESO PUEDE DEPENDER EL FUTURO DE NUESTRO MUNDO.

CAPÍTULO V

LA MÁS BELLA
HISTORIA DE AMOR

En casa de los Perestrelo, Dientecilla se deslizó
hasta la cocina, donde buscó la llave del almacén-
ascensor en el bolsillo del delantal de Celeste.
Después, bajó hasta las dependencias del sótano,
donde vivía el bisabuelo.

Sobre esta piedra erguiréi son novo mundo

Si había un secreto de familia que descubrir, ella no podía quedarse quieta, esperando. La detective Dientecilla estaba otra vez en acción. Y ella pensó que ya era hora...

El abuelo seguía en el salón viendo las últimas noticias en la televisión, que no eran buenas. Había caído otro fragmento invisible del cometa al mar. Había habido un tsunami, inundaciones, muertes y destrozos. Era el cometa negro. Estaba a punto de llegar. Ahora ya no quedaba nadie que pensara que no estaba en camino.

El abuelo llamó a Dientecilla, pero ella ya estaba abajo, en el salón donde colgaba el retrato del Gran Pipistrello, el italiano que creó el Mundo de Allá y que parecía darle la bienvenida sonriendo.

En aquel salón, donde el bisabuelo trabajaba, no había ni un espacio que no estuviera ocupado por libros y papeles. Y también los había en los cajones y los armarios, que estaban abarrotados.

Por eso, la detective Dientecilla se arremangó y se puso manos a la obra..

Al mismo tiempo, en otra parte de la ciudad, el bisabuelo hablaba a solas con Valentín.

ESCUCHA BIEN, ESTOY ENFERMO, AL FINAL DE ESTA SEGUNDA VIDA, PERO NO QUERÍA DEJAR ESTE MUNDO SIN VERLO A SALVO. POR VOSOTROS Y POR TODOS LOS DEMÁS. POR ESO, ESCUCHA ESTA HISTORIA DE AMOR.

HACE MUCHOS AÑOS, EN EL MUNDO
DE ALLÁ, DURANTE LA REVOLUCIÓN DE LOS
PURASANGRE, EL GRAN PIPISTRELLO HUYÓ A ESTE
MUNDO, PERO ELLOS SIGUIERON PERSIGUIÉNDOLO
HASTA QUE LO MATARON. Y LO QUE ES PEOR:
LOS PURASANGRE ENCARCELARON O MATARON
A TODOS SUS DESCENDIENTES, POR MIEDO A QUE SE
CUMPLIERA LA PROFECÍA. Y NO SOLO LOS QUE VIVÍAN
EN EL MUNDO DE ALLÁ. LOS DEL MUNDO DE ACÁ QUE
AÚN NO HABÍAN MUERTO TAMPOCO SE LIBRARON.

Mientras, Dientecilla, después de haber removido todos los armarios y cajones, también encontró lo que buscaba: un extenso manuscrito del bisabuelo. Era una especie de relato de su vida. Ya al principio le llamó la atención una parte en que hablaba de su infancia y de la relación con su padre.

Se sentó en un sofá, con las piernas cruzadas, y se puso a leer.

Solo a los catorce años descubrí el secreto de mi padre, Emanuel Perestrelo. Desde pequeño, siempre me extrañó su acento raro, sus viajes frecuentes a Italia y la música y los libros, todo en italiano. Él decía que había nacido en Oporto, pero no era cierto. Había nacido y vivido en Roma hasta los veintitrés años, cuando se vio obligado a huir de los Purasangre, que acabaron con todos los descendientes del gran Pipistrello, por miedo a que, en el futuro, se cumpliera la profecía que decía que un hijo suyo salvaría el mundo de arriba.

Al mismo tiempo, el bisabuelo le contaba la misma historia a Valentín.

FUE ENTONCES CUANDO UN TAL ROBERTO PIPISTRELLO, QUE VIVÍA EN ITALIA, VINO A PARAR AQUÍ, DESPUÉS DE UN AÑO DE HUIR Y DE ESCONDERSE POR EL MUNDO ENTERO. SE ENAMORÓ DE UNA BELLA PORTUGUESA, SE CASÓ CON ELLA Y SE LAS APAÑÓ PARA CAMBIAR DE NOMBRE, DE «PIPISTRELLO» A «PERESTRELO», PARA QUE NO PUDIERAN DESCUBRIRLO. NUNCA MÁS VOLVIÓ A SALIR DE AQUÍ Y ASÍ CONSIGUIÓ ESCAPAR A LA MATANZA DE LOS DESCENDIENTES DE PIPISTRELLO QUE SE QUEDARON AQUÍ ARRIBA.

ESE HOMBRE FUE MI PADRE, EMANUEL
PERESTRELO, TU TATARABUELO. ASÍ NACIÓ
UNA NUEVA RAMA DE LOS PERESTRELO. UNA
HISTORIA DE SUPERVIVENCIA Y TAMBIÉN
UNA BELLA HISTORIA DE AMOR.

En ese momento, Dientecilla también llegaba al
final de la historia, emocionada, mientras el Gran
Pipistrello, desde el retrato, la observaba.

¡QUÉ ROMÁNTICO!

Fue lo que dijo para sí misma y ¡deseó crecer más deprisa para poder vivir un amor así!

Muy satisfecha por haber descubierto el secreto mejor oculto de la familia, se puso a guardar los papeles en los cajones a toda prisa, pues no podía esperar para compartir su descubrimiento. Ay, cómo le gustaría contar también esa historia a Valentín...

No era necesario. Valentín la acababa de oír.

¡TCHCHCHCHCH! NO SÉ QUÉ DECIR...
NUNCA CREÍ... ¿Y AHORA?

AHORA TIENES QUE IR A ROMA CON LIN,
QUE SERÁ TU SOMBRA. ¡NO HAY TIEMPO QUE
PERDER! ES TU SIGUIENTE PASO. ALLÍ ENCONTRARÁS
A LOS DOCE CABALLEROS DE LA ORDEN. SI DE VERDAD
ERES **EL ELEGIDO**, ESTARÁS EN SUS MANOS
Y ELLOS SABRÁN QUÉ DEBES HACER. PERO ANTES
VOY A LLAMAR A TUS PADRES PARA PONERLOS
AL CORRIENTE. INTUYO QUE NO LES VA A GUSTAR.
PERO HAY QUE SALVAR EL MUNDO, ¿NO?

Entretanto, en la tienda de Alejo, Diana levantó la cabeza, entre claveles, rosas, dalias y aves del paraíso. Solo pensaba en el mensaje del florista antes de que se lo llevaran los Purasangre:

«¡EL PEDIDO! ¡PSI TE LLEVARÁ!»

¿Qué pedido? ¿Quién era *Psi*?

Y el oso *Puff* se le había escapado de las manos y, ahora, no lo encontraba.

Y *Psi*, encerrado en el baño, ladrando.

¡GUAU! ¡GUAU! ¡GUAU!

Cansada de oírlo, Diana fue a liberarlo y *Psi* le lamió las manos, muy agradecido. Hasta exageró un poquito. Ella tuvo que sacárselo de encima.

—Déjame, tengo que encontrar a *Puff*.

Psi lo entendió perfectamente. Por eso fue a buscar el peluche a una esquina y lo trajo en la boca.

Después, lo dejó en el suelo, a los pies de Diana, y también lo lamió suavemente, como si hubiera encontrado en aquel osito un consuelo para su separación de *Lolita*. ¿No es para eso para lo que sirven los osos de peluche?

TAMBIÉN TE GUSTA, ¿NO? ¿A QUIÉN NO LE GUSTA? TÚ TAMBIÉN ERES UN PERRO SIMPÁTICO Y ENTIENDES LO QUE TE DICEN. NO ERES TONTO, NI MUCHO MENOS. ¿CÓMO TE LLAMAS? ¿REX? ¿RAMBO? ¿BOBI?

Psi ladró, ofendido, diciendo que no, que no, que no. ¡GUAU! ¡GUAU! ¡GUAU!

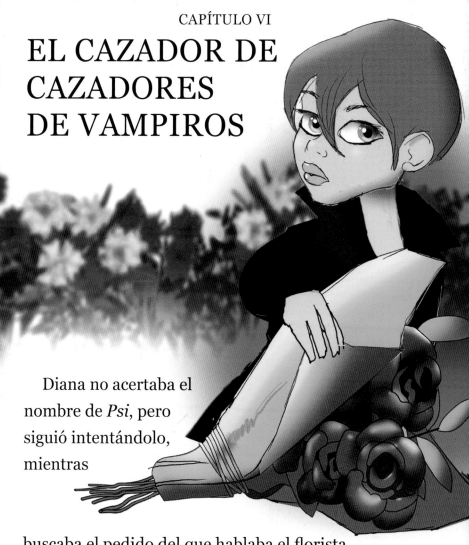

CAPÍTULO VI

EL CAZADOR DE CAZADORES DE VAMPIROS

Diana no acertaba el nombre de *Psi*, pero siguió intentándolo, mientras buscaba el pedido del que hablaba el florista. Al final, lo encontró: un ramo bien envuelto. Diana lo desenvolvió por una punta y vio que eran rosas negras.

Al lado, había un papel que decía:

PARA ENTREGAR ANTES DEL MEDIODÍA

Pero no había ninguna dirección.

Psi la llevaría allí. Pero ¿dónde estaba ese *Psi*?

¿Sería el perro?

—*¡Psi!* —lo llamó.

Y él ladró de manera prolongada,

¡GUAUUUU!

como si dijera:

«¡AQUÍ ESTOY, SÍ! POR FIN LO HAS ACERTADO».

¿Sería posible que aquel perro ya estuviera acostumbrado a esas entregas y supiera el camino? Diana ya había notado que era especial. Por eso se llamaba *Psi* y no *Rex*, *Rambo* o *Bobi*. Le dejó oler el ramo de rosas negras. *Psi* agitó la cabeza, movió el rabo y ladró dos veces mirando hacia la puerta. Estaba «diciendo» de un modo que Diana entendió perfectamente: «¡Vamos para allá!».

VAMOS PARA ALLÁ, ENTONCES.

En casa de los Perestrelo, Milhombres había conseguido espantar algunos corazoncitos rojos y había vuelto a dedicarse, junto con Madroño, al espionaje. Por la ventana del salón, los dos hombres vieron al abuelo comerse un chorizo asado sin ajo en el sofá, delante de la televisión. Y también vieron cómo después se quedó dormido.

VAMOS A ENTRAR. USTED VAYA DELANTE Y HÁGALE LA PRUEBA DEL ESPEJO. YO VOY DETRÁS Y, ¡ZAS!, ¡LE CLAVO LA ESTACA EN EL CORAZÓN!

Milhombres y Madroño entraron en el salón por la ventana. Ya sabían cómo se abría por fuera. Era solo cuestión de maña.

Madroño se santiguó tres veces y se metió una cabeza de ajo en la boca y la masticó con ansiedad.

—¡Shhhhh! —dijo Milhombres.

Madroño dejó de masticar y, muy encogido, hizo la prueba del espejo.

La imagen del abuelo no aparecía en el espejo. El propio Milhombres, que se fijó en el libro, no la vio.

Ah, tendríais que verlo sonreír, en silencio, satisfecho, tendríais que verlo. Y su sangre de cazador hervía. Allí estaba, a una distancia de cinco o seis pasos, su primer vampiro.

Avanzó con una estaca en la mano izquierda y el martillo en la derecha. El abuelo estaba roncando, soñando quizá con el cometa negro, y no soñaba, claro está, que una estaca afilada le apuntaba al corazón.

RRRONC... ZZZZZZ... RRRONC...

Madroño se encogió y cerró los ojos para no ver lo que venía a continuación. Milhombres puso la punta de la estaca casi pegada al pecho del abuelo, levantó el martillo y ¿ZAS?

No. No fue eso lo que pasó. En vez de un ZAS, se oyó un

¡PAM!

Es verdad, ¡PAM!

Milhombres sintió que su cabeza había chocado con una gran campana que, ahora, resonaba dentro de su cabeza.

Pero no era eso precisamente. Celeste, que había llegado de la calle, le había pegado con una sartén en la cabeza. El abuelo se despertó, asustado, y pronto entendió qué había pasado. Era ya la tercera vez que tenía la cara del cazador delante de su nariz. Y la estaca y el martillo ahí al lado.

Celeste empujó a Milhombres, que aún vibraba, hacia la puerta.

—¡A LA CALLE! ¡VOY A LLAMAR A LA POLICÍA!

No necesitó empujar a Madroño, que salió corriendo antes de que le aplicaran el mismo tratamiento. Pero, cuando llegó a la calle, una mano fuerte lo agarró del brazo. Era Granjola, el guardaespaldas de Matilde Melo, la tía de Diana. Madroño se atragantó con el ajo que llevaba en la boca y se puso a toser terriblemente.

¡GULP!
¡COF!
¡COF!

Poco después, apareció Milhombres, aturdido. No sabía con certeza ni dónde estaba ni de qué planeta era.

—Madroño, ¿dónde está mi cabeza? —preguntó—. Parece que me haya abandonado y que haya echado a volar.

—Va por allí —dijo Madroño señalando hacia el otro lado de la calle.

—¿Mi cabeza?

—No, *Dragón*, el perro que lo atacó la otra vez. Y ahora oiga, profesor. Le he explicado a este señor que no somos ladrones.

Fue entonces cuando Milhombres reparó en Granjola.

GRAN GOLPE, ¿EH? ¿Y QUÉ? ¿QUÉ HACÍAN AHÍ DENTRO? ¿ROBAR AL VIEJO?

¡COF! ¡COF!

—Ni pensarlo, señor —dijo Milhombres—. Estamos en una misión, en una operación. ¿Cómo decirlo? Secreta...

—¿Son policías? ¿Espías? —preguntó Granjola, impaciente—. ¿A qué se dedican ustedes?

BUENO, MI OCUPACIÓN PRINCIPAL NO ES UNA PROFESIÓN VULGAR, POR ASÍ DECIRLO. SOY CAZADOR DE VAMPIROS. ¡EXISTEN, EXISTEN! Y DENTRO DE ESA CASA VIVEN CINCO. ¡CINCO! Y, AHORA, ¿A QUÉ SE DEDICA USTED?

Granjola respondió sonriendo:

—Oh, mi profesión es aún menos vulgar. Soy cazador de cazadores de vampiros.

—¡Ja, ja! ¡Qué gracioso! —dijo Milhombres, pero pronto se puso serio, después de pensarlo mejor—. ¿CÓMO? ¿CÓMO HA DICHO?

—Los cazadores cazan, es verdad, pero también son cazados... —dijo Granjola, que se puso a cantar.

> ¡AH, CAZAR, CAZAR, CAZAR!
> HAY CAZA EN CUALQUIER LADO.
> Y HAY QUE CAZAR LO QUE AÚN
> NO SE HA CAZADO.

YO TAMBIÉN SUELO CANTAR ESA CANCIÓN… VISTO ASÍ, AMBOS SOMOS CAZADORES. ES LO QUE IMPORTA. Y, YA QUE ESTAMOS, ¿QUÉ LE IMPULSA A CAZAR CAZADORES DE VAMPIROS?

Madroño abrió el libro en la página del espejo y vio que Granjola no aparecía reflejado; también era un vampiro. ¡Y de los grandes! Un vampiro cazador de vampiros y, de aquel tamaño, no era ninguna broma.

Pero Granjola lo agarró por un brazo y le dijo:

¿SABE CÓMO SE MATA A UN CAZADOR DE VAMPIROS? SE LE CLAVA UNA ESTACA DE MADERA EN EL TRASERO.

—¡AYYYYYY! ¡SOCORRO!

Justo entonces llegó el policía al que Celeste había llamado. Era el mismo que los había detenido dos días antes. Esta vez, sin embargo, fue quien los salvó, porque el cazador de cazadores de vampiros soltó al cazador de vampiros y huyó de allí al instante.

—Mira quiénes son... —dijo el policía—. ¿Ahora también asaltan casas?

—No, nada de eso. Puedo explicárselo —dijo Milhombres, con los brazos en alto.

Pero, cuando el policía se acercó, pensó que era mejor huir. Y fue lo que hizo. Madroño ya lo había hecho y él solo tuvo que seguirlo.

CAPÍTULO VI
DESENCUENTRO

Tras perder de vista al policía, Milhombres y Madroño
se recuperaban de la carrera.

ERA LO QUE ME FALTABA: UN VAMPIRO COMO UN ARMARIO DE GRANDE QUE ES CAZADOR DE CAZADORES DE VAMPIROS.

NO PARAMOS DE APRENDER. PUEDE QUE HAYA CAZADORES DE CAZADORES DE VAMPIROS QUE LO CACEN A ÉL. Y DESPUÉS HABRÁ CAZADORES DE CAZADORES DE CAZADORES DE VAMPIROS QUE ATRAPEN A ESE CAZADOR TAMBIÉN. Y DESPUÉS VENDRÍA UN CAZADOR DE...

¡AJ! ¡AJ! ¡AJ!

—**¡DÉJELO YA!** —gritó Milhombres, mientras apartaba el último corazoncito rojo que daba vueltas a su alrededor.

¡Vaya cosa! ¿Qué diría la gente? Un hombre serio y austero como él andando de acá para allá con corazoncitos alrededor.

—Y, ahora, ¿qué hacemos? —quiso saber Madroño.

—Vamos a casa. Esperamos a que se tranquilicen las cosas y también a que se me pase el dolor de cabeza y después volvemos al ataque. Un cazador de vampiros **NUNCA SE RINDE...**

SALVO SI APARECE UN CAZADOR DE CAZADORES DE VAMPIROS...

¡CÁLLESE! ¿ME OYE?

Mientras, en la tienda de Alejo el Florista, Diana, con el ramo de rosas negras envueltas en papel, y *Psi*, atado con una correa, salían a la calle, después de que el perro hubiera inspeccionado con cuidado los alrededores.

A *Psi* le molestaba la correa, que nunca llevaba
cuando salía con su amo, pero, como no era un perro
que se quejara, siguió andando. Y, como avanzaba
sin dudar por las calles de la ciudad, Diana pensó
que iba a llevarla a los hombres de la Rosa Negra.

Y tenía razón, os lo digo yo, porque *Psi* se dirigía a la casa donde estaba Valentín. Este había acabado de hablar con el bisabuelo y, ahora, estaba con el Sombra, en otra sala, cambiando su aspecto. Un gorro, gafas sin graduar, otra chaqueta...

¡TCHCH! NO ME GUSTA ESTO. ¿EL ELEGIDO NO PUEDE ELEGIR SU PROPIA ROPA?

NO MIENTRAS ESTÉ BAJO MI PROTECCIÓN. ES LO MÍNIMO, MUCHACHO...

Valentín se miró al espejo y no vio su reflejo. ¿Dónde estaba el otro, el muchacho que era antes de ser el Escogido?

—No parezco yo —se quejó.

—Esa es la idea. Y no te olvides de ponerte protección solar. Hace un sol endiablado —dijo el Sombra.

En ese momento, Diana llegaba a las inmediaciones de la casa, a media altura de la avenida de Buenavista. *Psi* se paró en la entrada y ladró «diciendo»: «¡Es aquí!».

¿Sería allí? Era una casa grande, rodeada por un jardín y protegida por un muro bajo. Al lado del portal había un letrero de metal donde ponía: «Dr. Ivo Moutiño-Oftalmólogo».

Aquella casa podía ser el consultorio de un oftalmólogo, como parecía, pero seguramente también era un lugar secreto de la Rosa Negra, pensó Diana. Por eso llamó al timbre.

Fue entonces cuando *Psi*, al notar la presencia de Valentín en la casa, empezó a ladrar, a ladrar, amenazando con saltar el muro.

Había un cartel («CUIDADO CON EL PERRO»),
pero no estaba escrito en lenguaje
canino y *Psi* no lo leyó. Llegó
un pastor alemán que
guardaba la casa ladrando
furiosamente y *Psi* pensó
que lo mejor era huir.

Diana lo siguió y, como *Psi* seguía
nervioso, lo ató con la correa a un árbol, más adelante,
y volvió a la casa sin él. Llamó al timbre y apareció
una señora con una bata blanca, muy antipática, que
ni la dejó hablar.

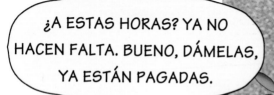

¿A ESTAS HORAS? YA NO HACEN FALTA. BUENO, DÁMELAS, YA ESTÁN PAGADAS.

ESPERE...

La señora antipática no la oyó y cerró la puerta.

Diana iba a llamar otra vez al timbre, pero, al mirar en la mochila, no encontró al oso *Puff*. Estaba segura de que lo había metido allí, pero, vació la mochila, y nada, *Puff* no estaba. Se puso a pensar y se acordó de haberlo dejado en el banco en el que se habían parado en el jardín, ella a descansar y *Psi* a beber. Se había quedado en el banco, se lo había dejado.

Los peluches no hablan. Si *Puff* hubiera dicho: «Eh, no me dejes aquí», no se habría quedado allí. ¿Qué estaría pensando ahora *Puff*? ¡Quizá que lo habían abandonado, pobre! ¿Un oso de peluche no tiene sentimientos? Depende del oso, evidentemente.

¡GUAU! ¡GUAU! ¡GUAU! ¡GUAU! ¡GUAU!

Así que Diana soltó a *Psi* y fue a buscar al oso de peluche, donde guardaba el lápiz de memoria, aunque sin muchas esperanzas de encontrarlo. En aquel momento, Valentín salió de la casa por la puerta delantera y, junto a Lin, el Sombra, se dirigió a un coche aparcado más adelante. En un momento dado, le pareció que había oído ladrar a *Psi* y fue a mirar a la calle por encima del muro.

Pero *Psi* ya caminaba lejos de allí, arrastrado por Diana.

¡APÁRTATE DE AHÍ! ES PELIGROSO.

HE OÍDO LADRAR A UN PERRO CONOCIDO...

AHORA NO CONOCES A NADIE. TIENES QUE CUMPLIR TU MISIÓN. VENGA, YA VAMOS CON RETRASO.

¿TAMBIÉN MURIÓ EL 25 DE JUNIO?

SÍ, EN UN ACCIDENTE AÉREO. VOLVÍA DEL CAMPEONATO DEL MUNDO DE ARTES MARCIALES. EL AVIÓN CAYÓ AL MAR. PARECE QUE AÚN SIENTO EL FRÍO DEL AGUA QUE ENTRÓ... Y AHORA ESTOY AQUÍ. PODRÍA HABER SIDO PEOR. ¿Y TÚ?

—También fue en un accidente, pero de coche. Yo y toda mi familia. Al menos nos quedamos juntos en la segunda vida.

Se subieron a un coche potente.

—¿Cómo vamos? —preguntó Valentín.

—Preguntando se llega a Roma y quien tiene un avión llega más deprisa. Creo que hay uno esperándonos en el aeropuerto.

Valentín abrió la ventanilla del coche y alargó la mano para intentar coger dos corazoncitos rojos que pasaban por allí y que parecían pompas de jabón. Se estiró para intentar coger el más cercano, pero el corazón se apartó de repente, como si huyera de él.

El amor, fuera lo que fuera, no estaba de momento a su alcance.

Pero la vida seguía. ¡Y de qué manera!

Cuando el coche salió a la calle, la señora antipática de la bata blanca hizo una llamada. Después de mirar a su alrededor para asegurarse de que no la oía nadie, dijo, aun así, en voz baja:

ACABAN DE SALIR. CREO QUE VAN HACIA EL AEROPUERTO.

¡BURRUUM!

Índice